KB103228

힘들고 지친 그대에게 전해 주고싶은 말

힘들고 지친 그대에게 전해 주고싶은 말

발 행 | 2024년 07월 23일
저 자 | 윤승재
펴낸이 | 한건희
펴낸곳 | 주식회사 부크크
출판사등록 | 2014.07.15.(제2014-16호)
주 소 | 서울특별시 금천구 가산디지털1로 119 SK트윈타워 A동 305호
전 화 | 1670-8316
이메일 | info@bookk.co.kr

ISBN | 979-11-410-9614-4

www.bookk.co.kr

힘들고 지친 그대에게 전해 주고싶은 말

-윤승재 지음-

목차

시인의 말

저는 솔직히 힘들어하는 사람들을
구하고 싶었습니다. 그래서 제가 시를
쓰며 한동안 생각을 했죠
“내 시가 다른 사람을 도와주었으면
좋겠다.”
“내 시가 다른 사람의 마음을 달래
주었으면 좋겠다.”
라는 생각으로 시를 정말 쓰고
싶어서 쓰게 되었습니다.
오늘의 1초가 한 사람에게는 행복,
슬픔이 오가며 사람의 기분이
결정되어 오늘의 하루가 행복한지
슬픈지 결정해주는 것 같습니다.

오늘의 하루가 슬플지라도 내일의
인생을 위해 열심히 살아가는
“독자님!”

때로는 슬플지라도 행복하게 웃는
"독자님!"

저는 언제나 독자님 곁에서 행복과
웃음을 주는 사람이 되고 싶네요

-시인 윤승재 올림-

그대는 아는가

윤승재

나는 16살 학생
사회에 적응 안 해본
꽃 안 핀 인생

그대는 아는가
나는 꽃 안 피워 꽃집 예쁘게
정리하는데
그대가 나의 꽃집 상처 내네

아, 그대가 정말 고달파
내 꽃집 터지고 째져
썩어 문드러져어

내 꽃집 처량히

눈물로 물들어져어

그대는 아는가
나의 소망을

너의 말

윤승재

처음에 너의 말이
포근해 너에게 다가가
정을 쌓았지만

너는 나를 배신해
나를 칼로 찌르네

나는 찢어진 정 다시 주워
다시 너에게 다시 다가갔지만

너는 다시 칼로
나를 찌르네

나는 찢어진 정 다시 주워

너에게 다가갔지만

너는 나에게 상처밖에 주지
않구나

1초의 생각

윤승재

오늘의 하루
나에게는
"인생"

인생이 오늘따라
힘들어

1초의 생각이
내 인생 좌지우지
하는구나

내 인생
슬픔에 잠겨
눈물로 인생 채우네

그 한마디

윤승재

너의 그 한마디
죽고 싶다는 그 한마디

그 말이 너무 처량해
나는 웃고 싶소

그 말이 너무 웃겨
나는 울고 싶소

너의 그 한마디가
나는 정말 행복하구나

떠나감

윤승재

한없이
목 빠져라
너를 기다리는데

너는 어째서
돌아오지 않는 것이냐

너를 기다리며
세월 네월 행복한데

너를 기다리며
세월 네월 슬픈데

너는 어째서

돌아오지 않는 것이냐

보고 싶다

윤승재

작별 인사 없이
떠나버린 너

어찌 너는
왜 이렇게 미련할까아

네가 떠나서
난 웃는데

네가 떠나서
난 우는데

난 네가 그리워
보고 싶은 맘에

나는 행복하게 웃는다

미련 없이

윤승재

나는 당신과
함께 살아온
우리 부부 사이

당신은
나를 미련 없이
쳐 버리고 떠나간

우리 이별 사이

나는 당신이 그리워 울지만
당신은 그저 웃기만 하네

이별

윤승재

사랑하는 사람과의 이별

사랑하는 가족과의 이별

내 꽃잎 떨어지는 인생

아무리 꽃잎을 주우려 해도
아무리 이별을 막으려 해도

내 몸만 타들어 가네

비

윤승재

뚝뚝 떨어지는 비
탁탁 떨어지는 우박

뚝뚝 떨어지는 나의 눈물
탁탁 떨어지는 나의 마음

그 비가 정말
나의 눈물, 나의 마음 같구나

바다

윤승재

쏴 아아-
쏴 아아-
파도치는 바다

마치 내 마음처럼
요동치네

푸른색 바다
푸른색 눈물

마치 내 눈물처럼
색이 같구나

달

윤승재

나의 마음은 밤처럼
어두운데

어째 너는

밤이라도
환하게 웃을까

나도 달처럼
환하게 웃고 싶다.

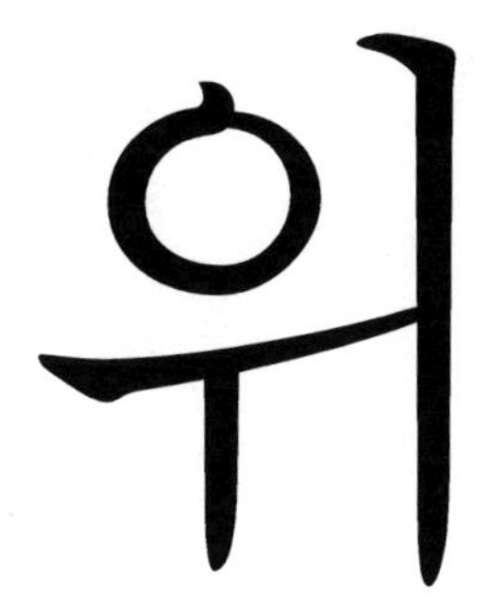

로

사람

윤승재

나는 사람
너에게 도움을 주고픈 사람

네가 울고 있을 땐
휴지가 되어주고

네가 힘들 땐
행복이 되어주고

네가 외로울 땐
친구가 되어주고

나는 사람
너에게 도움을 주고픈 사람

가족

윤승재

우리 가족은 마치 나비 같다

내가 슬플 때 날아와
눈물 닦아주고

고민이 많을 때
날개로 고민 털어주고

이 이쁜 얼굴로 태어나게 해준
우리 엄마 아빠

정말 이 이쁜 얼굴에
나비가 붙어

나와 함께 춤을 추네

위로받고 싶은 마음

윤승재

오늘 하루도 힘든
너에게

위로와 공감이
담겨있는

꽃 한 송이
전해주고 싶다.

걱정

윤승재

내일 중요한 일이
있는 너

너는 잠을 못 자
설치고 있구나

그 모습 너무 걱정스러워

괜찮아, 잘할 수 있어 라는
말을 너에게 남기고 싶다.

한강

윤승재

이 이쁜 한강의 야경

너와 내가 돗자리에 앉아
위로의 노래 부르네

서울에 비치는 빛
그건 마치 너

이 이쁜 한강의 야경
너와 함께 보고 싶다.

나무

윤승재

바람과 만난 나무
샤아아- 샤아아-

그 소리가 마치
힘든 나를 반겨주네

나뭇잎 떨어져 내 옆으로 와

나와 함께 있어 주네

도심

윤승재

도심 속에서
힘들게 살아가

울고 있는 당신

당신의 모습이
얼마나 처량한지

나는 당신에게
별이 되어

당신의 인생
빛내 주랴

지우개

윤승재

한 번의 생각
쉽사리 지워지지 않아

고통받는 너에게
지우개 주고
너의 힘듦을 털어주어

너에게 힘이 되고 싶다.

귀뚜라미

윤승재

밤마다 들리는
귀뚜라미 자장가 소리

마치 힘든 나를 위로해
주는듯해서

그 소리 들으면
나의 힘든 일 털어주는 거 같아

정말 행복하구나

돌

윤승재

데굴데굴
굴러가는 돌

여기저기
치고받아

여기저기
상처투성

그대가 나를 들어 올려
그대가 나를 쳐다봐 줘서

여기저기 상처투성
아무네

공감

윤승재

오늘의 하루가 힘들더라도
오늘의 하루가 슬프더라도

왜 당신은 그저 울기만 하는가,

그대의 얼굴 못생겨지면
안돼오니

내가 그대의 말
들어주어

그대의 눈물 닦아주랴

개나리꽃

윤승재

봄이 다가오면
노란색 별이
피어나 희망이 되네

힘든 사람
희망으로 채워 주어서
힘듦을 털어주네

오늘따라 힘든 일도
희망으로 채워주어
기분 좋은 날로 만들어 주네

별똥별

윤승재

슈웅- 지나가는
별똥별

나는 희망이 있어
간절히 소원 비네

나의 간절함이
별똥별에게 닿길

아니,

내가 사랑하는 사람에게 닿길

네잎클로버

윤승재

아침이 따가워
매미가 우는 날

나는 초록빛 들판에 앉아
네잎클로버를 찾는다

내가 네잎클로버를 찾아
소원을 빌 때

그 초록빛 네잎클로버는
더욱 빛나구나

나비

윤승재

펄럭이는 나비
아름다운 꽃 찾아
자리에 앉네

그 아름다운 꽃이
얼마나 예쁜지

나도 거기에 앉아
꽃과 노래하고 싶다.

친구

윤승재

나에게 하나뿐인 친구

슬플 때나
화날 때나
행복할 때나

친구는 항상
공감해 주고

친구는 항상
같이 웃어주고

나에게 하나뿐인 친구
나에게 희망 같은 친구

강아지

윤승재

우리 강아지
멍멍대며
나를 찾네

내가 울고 있을 때
내 옆으로 와

나에게
위로라는 희망 주네

우리 강아지
멍멍대며
나를 찾네

토끼

윤승재

깡충깡충 토끼야
너의 그 움직임이

나에게 희망처럼
다가오는구나

힘들 때라도 힘을 내어
깡충깡충
오는 토끼야

나에게 희망처럼
다가오는구나

환한 너의 얼굴

윤승재

환한 미소로 다가온 너
슬픈 얼굴로 찾아간 나

너의 그 따뜻한 얼굴이
나의 차가운 마음
따뜻하게 녹여주네

환한 미소로 다가온 너
희망적인 얼굴로 너에게 찾아간
나

희망적인 꽃

윤승재

분주한 세상 속
어려운 환경에서
꽃 피우네

그 꽃이 정말
아름다운지

그 꽃이 정말
멋져 보이는지

그 꽃이 정말
희망적으로 보이는지

분주한 세상 속

그 꽃은 희망적이구나

희망

윤승재

희망은 마치
부드러운 구름

희망은 마치
나의 꿈

누구나 희망을
가지고 있는데

어찌 마음 아프게
울고 있을까

어서 희망을 가지고
그 마음 희망으로 위로받아

행복한 너의 얼굴
보고 싶다.

곰

윤승재

처음에 네가
정말로 무서워
못 다가갔지만

그대의 모습이 희망적이여서
그대의 모습이 포근해서

너에게 안긴다.

계곡

윤승재

계곡물이
얼음같이 흘렀을지라도

친구와 함께
웃으며 놀면

언제나 따뜻해지는
계곡

그 계곡에 다가가
친구와 함께 노는 이야기
전해 주고 싶다.

행
복

해

윤승재

매일 아침
나에게 웃음을 주는 해

해가 웃음을 주어서
나는 행복하게 웃는다.

초록빛 새싹도 해를 보며
방그레 웃는다.

길고양이

윤승재

그대가 준 선물
그대의 선물이 좋아

길고양이 가 나에게 다가와
안아주네

고양이가 너무 행복해
야옹- 야옹- 웃네

복숭아

윤승재

처음에 초록색이였던 나

그대를 본 순간
나는 반했다

그대를 본 후 나는 점점
핑크빛으로 물드네

이게 사랑이였다.

하천

윤승재

하천에 있는
오리들과 꽃들

오리들은 나를 보고
꽉 꽉 거리고

꽃들은 나를 보며
활짝 웃는다

그때 들리는 하천의 소리
얼마나 행복하던지

나의 기분도
덩달아 행복해 지네

피아노

윤승재

도레미파솔라시도 로
표현할 수 있는
나의 감정

하나하나
칠 때마다

얼마나 행복하던지

하나하나
칠 때마다

얼마나 즐겁던지

피아노는

나에게 행복을 전달해 주는구나

침대

윤승재

오늘 하루도
힘들고 지친 나에게

행복을 주는 침대

침대에 누웠을 때

나에게 속삭이며
행복을 전달하네

오늘 하루가 힘들더라도
침대가 나를 행복하게 해준다.

수국

윤승재

하나하나
각각의

색깔이 달라도
모습이 달라도

너의 모습은
정말 아름다워서

나의 눈을 행복하게 해준다.

여름

윤승재

매앰 매앰
매미가 우는 계절

어디에선가
달콤한 향기가 찾아와

나의 코를
즐겁게 해주는 너

정말 사랑스러워
너에게 행복의 미소를 짓는다.

행복

윤승재

행복은
정말 알고 싶어도
알지 못하는 감정

그저 크게 노는 것도 아닌
그저 큰 보상인 것도 아닌

소소한 것으로부터 나오는 것이
행복 아니겠는가

즐거움

구름

윤승재

하늘에 떠 있는 구름

얼마나 신나서
저렇게 떠 있는지

나도 덩달아 즐거워서
바람 따라 날아가네

하늘에 떠 있는 구름

너의 그 신남이
나도 덩달아 즐거워 지네

즐거움

윤승재

그대들은
느껴 보았는가

사소한 것으로부터 나오는
즐거움

나는 이 즐거움 덕분에
웃기고 활기차서

항상 미소가 떨어지지
않네

그대들도
느껴보았으면 좋겠다.

산책

윤승재

하천의
솨 아아- 흐르는 곳에서

우리 강아지
뛰어놀래
걸어놀래

나는 어찌할빠 몰라

우리 강아지
따라 뛰고 걸어서

우리 강아지
즐거워 보인다.

편지

윤승재

그대에게
전하지 못한 말 전하여

답답한 가슴
즐겁게 바뀌어어

나의 마음
서서히 웃어어

그대에게 항상
편지 써주고 싶다.

그대의 모습

윤승재

그대가 내 옆을 지날 때
나의 마음 콩닥거려

그대가 나를 쳐다볼 때
나의 마음 쿵쾅거려

그대의 모습이 정말
아름다워 보여

그대와 함께
나들이 가고 싶다.

창문으로 들어오는 따사함

윤승재

오후 6시
그때 내가 들어오면

창문으로 들어오는 따사함이
나를 따뜻하게 받아들여서

힘들게 된 나의 마음
울고 싶은 나의 마음

이 슬픔 감정 모두 사라지고
나의 마음속엔

"행복과 즐거움만 남네"

바람

윤승재

초록빛 들판에
나무 한 그루가 있는 곳에
누워

바람이 나에게
속삭인다

나도 바람에게
속삭여

바람이 나의 고민을
털어주네

나는 즐거워

바람과 함께 춤을 추네

제천

윤승재

자연치유의 도시
제천

그곳엔 의림지가 있는데

정말 쓸쓸해 보이는
외딴섬

쓸쓸하지 않게
사람, 동물들이 오손도손
관심 써주네

외딴섬에 있는 나무
즐거운 마음에

덩실덩실 춤을 춘다.

시인의 마지막 말

저의 시집을 읽으실 때

“왜 사람을 도와주는 건데 왜
슬픔부터 나오지?”

라는 말이 나올 수 있습니다.

하지만 저는 독특하게 한 명의
사람을 정하고 슬픈 감정이 서서히
위로받으면서 희망을 가지고
즐거움으로 가는 구성으로 했습니다.

저의 시를 읽으시면서 정말
행복하시고 위로받으셨으면 정말
좋겠습니다.

저의 시를 끝까지 읽어 주셔서 정말

감사합니다.

언제나 당신의 하루가 빛나길 빌며,

-시인 윤승재 올림-